Ce livre est un don des
Sœurs Salésiennes
Filles de Marie-Auxiliatrice
300 Chemin Montréal
Cornwall, ON K6H 1B4
Tél : 613 937 4956
Sites web :
www.donboscocornwall.org
www.salesiansisterscanada.com

*Notre MISSION : être pour et avec les jeunes
une présence joyeuse, un soutien aimant
et un témoin crédible de notre foi en Jésus.*

Activités dirigées par les Sœurs Salésiennes
Pastorale jeunesse du diocèse d'Alexandria-Cornwall,
Centre Salésien des Jeunes chaque vendredi soir,
Camp d'été en juillet,
Cours de piano (jeunes et adultes),
Camps de Leadership pour les adolescents,
DUC IN ALTUM Ottawa/Cornwall,
un groupe de discernement pour jeunes adultes.

** Un reçu d'impôt peut vous être remis
pour tout don en faveur de nos activités.*

Marie-Dominique Mazzarello

Texte de Catherine Fino

Illustrations de Dominique Bach

ÉDITIONS
DU SIGNE

Éditeur :
Éditions du Signe
1, rue Alfred Kastler
B.P. 94 - 67038 Strasbourg Cedex 2 - France
Tél. : **03 88 78 91 91**
Fax : 03 88 78 91 99
Email : info@editionsdusigne.fr
www.editionsdusigne.fr

Texte :
Catherine Fino

Illustrations :
Dominique Bach

Mise en page :
Éditions du Signe

Printed in Italy by Arti Grafiche, Pomezia

Ce livre est pour toi…
Tu vas suivre les traces d'une jeune fille toute simple …

Marie-Dominique, que tous dans son village appellent Maïn. Une enfant de ton âge, qui aime jouer, rire et chanter.
Qui apprend aussi très tôt à travailler à la vigne de son papa ou aider sa maman dans les mille petits travaux de la maison.
Marie-Dominique, qui découvre que la vie est un cadeau de Dieu, un cadeau à faire grandir et partager avec les autres.
Jésus devient le grand amour de son cœur et la remplit de joie.

Alors, elle veut le faire connaître à d'autres pour qu'eux aussi soient heureux et sèment à leur tour le bonheur sur leur chemin. Les difficultés ne lui manquent pas ; mais elle ne se laisse pas abattre par la peur. Elle sait chaque fois trouver un chemin neuf de bonheur et c'est, avec enthousiasme et joie, qu'elle ose se lancer dans l'aventure un peu folle que lui propose Don Bosco.

Grâce à lui et avec ses compagnes, elle ouvrira de nouveaux chemins qui franchiront bien vite les montagnes et traverseront les océans pour apporter aux enfants et aux jeunes la Bonne Nouvelle de l'Amour.

Et toi … quelle route de bonheur choisiras-tu ?

Sr Nadia Aïdjian

Mornèse est un beau village du Piémont, au nord de l'Italie. Ses ruelles étroites conduisent vers l'église Saint-Nicolas et surtout au château du marquis Doria, qui fournit le travail aux vignerons et aux commerçants du village.

Au XIXᵉ siècle, la vie est devenue difficile : les guerres et les épidémies se succèdent.

Pourtant, ce 9 mai 1837, quelle joie pour Joseph et Madeleine Mazzarello, à la naissance de leur premier enfant : Marie-Dominique. Dans la maison, vivent aussi les frères de Joseph, la grand-mère et la cousine Dominique, une jeune orpheline recueillie l'année précédente :

- Regarde, grand-mère, comme elle est belle !

La petite fille grandit, et se fait des amis au village. Elle ne peut pas aller à l'école car cela coûtait cher et il n'y en avait pas pour les filles, mais les enfants se rencontrent au catéchisme. Marie-Dominique veut tout apprendre et comprendre.

Un jour d'automne 1849, c'est le déménagement pour la ferme de la Valponasca, au nord du village, que le marquis Doria leur loue pour que la famille s'occupe des vignes.

- C'est un beau vignoble et il y aura du travail pour tous ! Et toi, Marie-Dominique, tu aideras ta maman à s'occuper de tes petits frères.

- Mais papa, je peux aller à la vigne moi aussi ! Je suis aussi forte que les garçons ! D'abord, je les ai tous battus la semaine dernière au concours de catéchisme !

- Mon Dieu, qu'elle est fière ! Eh bien, tu pourras essayer, et si tu fais aussi bien que les ouvriers de Monsieur Doria, je te garde aux vignes avec nous, c'est promis !

Et bientôt :

- Monsieur Mazzarello, si ça continue, je ne travaille plus pour vous ! C'est pas possible de suivre le rythme de la petite !

- Eh, c'est que c'est ma fille ! Marie-Dominique, ralentis un peu et viens te reposer avec nous !

- Merci, mais je préfère aller là-haut, toute seule.

Marie-Dominique aime ces instants de pause au milieu des vignes : au loin, elle aperçoit l'église, et elle dit quelques mots à Jésus pour lui confier un souci de la maison ou le remercier de la beauté du paysage.

Depuis deux ans, un jeune prêtre, Don Pestarino, est venu au village, pour s'occuper des jeunes. Chaque semaine, Marie-Dominique peut le rencontrer : il répond à ses questions, il lui apprend à se confesser régulièrement et ainsi, il l'aide à corriger ses défauts.

- Je voulais finir encore plus vite, alors j'ai coupé les pousses de vigne qui me gênaient.

- Chaque pied de vigne compte pour la récolte. Et puis, tu dois travailler avec l'intention de tout faire le mieux possible, pour plaire à Jésus.

Marie-Dominique aime bien s'acheter de nouvelles robes, ou encore cette paire de bottines vernies à la mode.

- Je voulais que tout le monde me remarque à la prochaine fête du village, Don Pestarino. Mais peut-être devrais-je plutôt en faire cadeau à ma cousine Dominique ?

- Ah, tu veux être la plus généreuse ! Eh bien non, puisque tu les as achetées, garde-les, mais tu peux les rendre moins brillantes.

Marie-Dominique obéit, et à partir de maintenant, elle comprend qu'elle ne doit pas chercher à être toujours la première en tout !

Depuis quelque temps, Marie-Dominique disparaît tous les soirs, à six heures, dans sa chambre.

- Marie-Dominique, qu'est-ce que tu fais ?

La maman approche et voit sa fille à la fenêtre, les yeux fixés sur la petite église, à l'horizon.

- C'est l'heure où les gens du village sont réunis pour prier. Quand je suis ici, c'est comme si j'étais avec eux. Regarde, on a l'impression de voir la lumière à travers les vitraux. Tu veux prier avec moi ?

- C'est une bonne idée ! Venez, les enfants : nous allons dire notre chapelet tous ensemble avec votre sœur.

Le père approuve l'initiative : chaque soir, maintenant, toute la famille se réunit pour prier dans la chambre de Marie-Dominique, avant de descendre dîner.

- Marie-Dominique, il est l'heure de se coucher.
- Encore deux minutes, maman. Don Pestarino m'a prêté un livre passionnant sur Jésus.
- C'est bien. Mais tu uses toute la réserve d'huile de la lampe : Don Pestarino ne serait pas d'accord !

Et le lendemain, à l'aube, Marie-Dominique appelle sa cousine :

- Dominique, Dominique !

- Hum...

- Allez, lève-toi, c'est l'heure de partir !

- Merci ! Sans toi, je n'arriverai jamais à me réveiller seule, et moi aussi j'ai envie d'aller à l'église pour rencontrer Jésus. La journée est différente quand il est venu dans notre cœur. D'ailleurs, toi, tu es toujours joyeuse !

- Pour cela, il faut bien l'accueillir : moi, je le remercie toute la journée et, ensuite, je prépare mon cœur pour communier le lendemain.

Les deux filles sortent doucement sans réveiller personne.

- Nous ne serons pas en retard pour donner à boire aux vaches ?

- Ne t'inquiète pas, je l'ai déjà fait !, dit Marie-Dominique.

- Tu es déjà allée chercher l'eau au puits ?

- Mais oui, comme tous les matins. Tu ne l'avais jamais remarqué ?

Mornèse est à une demi-heure de marche, trois quarts d'heure en hiver, quand le chemin est recouvert de neige. Mais rien n'arrête Marie-Dominique, qui ne veut pas manquer son rendez-vous avec Jésus.

Et comme Marie-Dominique n'a pas de montre, un matin :

- Tu ne trouves pas qu'il fait encore nuit ? Et ce monsieur qui vient, je ne le connais pas.

- Demandons-lui l'heure : nous aurons moins peur !

- Les enfants, que faites-vous dehors à deux heures du matin ?

- ...? Oh ! Tant pis, nous attendrons devant l'église. Ainsi, nous aurons plus de temps pour prier.

En 1858, Marie-Dominique a 21 ans :

- Père, que se passe-t-il ?

- Ce sont les voleurs, ma fille : ils ont pris toutes nos économies. De nos jours, les hommes sont vraiment mauvais.

- Ne dites pas ça : ce sont sûrement des malheureux qui ont tout perdu à la guerre. Je prierai pour eux.

- Tu es trop bonne ! En tout cas, la ferme est vraiment trop isolée : nous ne sommes plus en sécurité. Vous pourriez vous faire agresser quand nous sommes aux champs. Je vais chercher une maison au village.

Marie-Dominique est heureuse de revenir habiter au village : elle sera bien plus près pour aller à l'église le matin, et pourra rencontrer plus facilement ses amies.

En effet, cela fait quatre ans qu'avec Angela, l'institutrice, et trois amies, elles ont fondé une association : les Filles de l'Immaculée.

- Pétronille, viens nous rejoindre !
- Mais que faites-vous ?
- Eh bien, nous rendons service aux malades, ou nous aidons Don Pestarino pour le catéchisme. Chaque semaine, avec cinq jeunes mamans, nous discutons sur l'éducation des enfants : comment leur faire découvrir Dieu, et éviter tous les dangers qui menacent les jeunes.
- C'est vrai que tu as de l'expérience, avec tes frères !

- Et le dimanche, nous nous réunissons chez Angela pour voir quelles sont les personnes à aider dans la semaine, tout préparer, et surtout prier ensemble. Don Pestarino nous a donné un livre qui nous dit comment faire des progrès en sainteté.

- Vous voulez devenir saintes !

- Bien sûr ! Tout le monde peut devenir saint, même nous, des filles de la campagne. Tu te rends compte de la chance que nous avons de connaître Dieu ! N'oublie pas : nous t'attendons, dimanche prochain !

Hiver 1860 : c'est de nouveau la guerre.

Une maladie grave, le typhus, a atteint Mornèse.
Marie-Dominique rend visite aux malades en leur
apportant un peu de réconfort. En quelques semaines
cette terrible maladie fait plusieurs victimes et même
Marie-Dominique tombera malade, elle qui était si
résistante !

- Elle a été chez son oncle pour soigner toute la famille. Don Pestarino le lui avait demandé, et elle a dit oui, malgré sa peur : elle sentait déjà qu'elle allait attraper la maladie !
- Et aujourd'hui, voilà, elle est au plus mal.

Mais elle ne se plaint jamais. Au contraire, c'est elle qui console ses parents. Ce qui la soutient, c'est la communion que Don Pestarino lui apporte chaque matin.

Marie-Dominique va mieux, mais elle est encore si faible qu'elle doit rester à la maison pour se reposer. Elle essaye de faire un peu de cuisine et de couture pour aider sa maman, et elle lit la vie de jeunes chrétiennes de son pays : « Si elles ont pu faire autant de bien autour d'elles malgré leur peu de santé, je ne veux pas rester en arrière ! »

Quelques mois plus tard, Marie-Dominique se promène avec Pétronille :

- Tu sais, j'ai compris que je n'aurai plus jamais la force de travailler aux champs. J'ai un projet : si nous apprenions à coudre, nous pourrions ouvrir une petite école de couture pour les jeunes filles qui sortent de l'école vers 12 ou 13 ans et qui traînent au village sans rien faire. Mais l'essentiel, n'oublie pas, ce serait de leur apprendre à connaître et aimer le Seigneur.

Et Marie-Dominique ajoute :
- Je te confie un secret. En allant vers la colline de Borgoalto…

… j'ai vu soudain une grande maison avec plein de jeunes filles et j'entendais une voix qui me disait : « Je te les confie. »

Au village, les mamans discutent :

- Ta fille, tu peux l'envoyer apprendre à coudre chez Marie-Dominique et Pétronille. Tu lui donnes du tissu, et tu verras qu'elle saura vite se faire une belle robe.

- Marie-Dominique et Pétronille ? Elles sont devenues couturières ?

- Tu ne les as pas vues travailler cet hiver chez le tailleur ? Et tu peux aussi leur donner des habits à raccommoder : elles acceptent volontiers les petits travaux.

- Maman, voici Marie-Dominique : je pars à l'atelier.
- Déjà ? Nous avons juste fini de déjeuner. Vous reprenez le travail si tôt ?
- Non, mais il y a d'abord la récréation : je ne veux pas la manquer, toutes mes amies y seront ! On s'amuse si bien avec Marie-Dominique. Et puis, quelquefois, nous allons dire bonjour à Jésus : il est si content quand nous passons le voir dans son église.
- Eh bien, amuse-toi bien, et soyez sérieuses à l'atelier !
- Oui maman ! Mais tu sais, on ne s'ennuie pas. Marie-Dominique vient aider chacune. Nous avons le droit de parler entre nous et, souvent, elle nous lit un livre, ou bien nous apprenons de nouveaux chants tout en cousant. On ne voit pas passer la journée !
- Tu en as de la chance. Allez, à ce soir !

Marie-Dominique a toujours un petit mot pour que chacune pense à Dieu.

- Claire, quelle heure est-il ?
- Je ne sais pas, je n'ai pas de montre.
- Moi non plus ! Réponds-moi : « C'est l'heure d'aimer le Seigneur ! »

- Et toi, Flora, tu te souviens du sermon de Don Pestarino ce dimanche ?

- ...?

- Moi, j'ai pensé à toi quand il a parlé du mariage. C'était juste ta question de la semaine dernière. Tu vois, Dieu pense à chacune de nous, et nous donne selon nos besoins. On appelle cela la Providence.

Et le soir, quand elle reste seule avec Pétronille, Marie-Dominique ajoute : « Que chaque point d'aiguille soit un acte d'amour pour Dieu ! »

Le dimanche après-midi, rendez-vous sur la place de l'église, et hop, on marche et on court sur les chemins de campagne. Au bout d'un moment, on s'arrête à l'ombre pour chanter, danser, jouer à saute-mouton ou à cache-cache, tandis que Marie-Dominique et Pétronille préparent le goûter.

Puis, toutes reviennent au village pour le catéchisme et la prière du soir. Ensuite, la récréation reprend dans la courette de l'atelier, avant que Marie-Dominique ne raccompagne les dernières chez elles quand la nuit tombe.

- Au revoir, à dimanche prochain !

Au village, pour le Carnaval, les jeunes dansent toute la nuit, boivent un peu trop, et font des bêtises. Les mamans ne veulent pas laisser sortir les filles, mais les filles veulent être libres.

- Ne vous faites pas de souci, Don Pestarino. Cette année, toutes les filles seront chez nous à l'atelier.

- Comment cela ?

- Mon amie Catherine viendra avec son accordéon. On a fait de la place pour pouvoir danser. Pétronille nous préparera les meilleurs beignets du pays, et gare aux mauvais garçons qui viendraient troubler notre fête !

Quel succès ! Toutes les filles veulent recommencer l'année prochaine !

Un matin, un marchand ambulant entre à l'atelier, accompagné de deux petites filles au visage triste.

- Marie-Dominique, je vous en prie, prenez mes petites avec vous. Ma femme est morte la semaine dernière et, avec mon métier, je suis toujours sur les routes. Elles seront heureuses ici, car il y a tellement de joie pour les enfants.

- Bien sûr ! Entrez ! Comment t'appelles-tu ? Et toi ?

À partir de ce moment, Pétronille reste manger et dormir avec les petites. Bientôt, une autre fillette les rejoint, puis une cousine de Marie-Dominique : une petite famille est née. Il va falloir trouver une plus grande maison.

Le vendredi 7 octobre 1864, tout le village se prépare à accueillir un visiteur célèbre : on attend Don Bosco, un prêtre qui est éducateur des jeunes dans la grande ville de Turin. Pour les vacances d'automne, Don Bosco a emmené une centaine de garçons pour une grande marche à travers le pays.

Ça y est : ils arrivent, on entend la fanfare et les bravos !

Le soir, après le dîner, tous les hommes se rassemblent pour écouter le mot de Don Bosco. Mais une jeune fille se glisse au premier rang...

- Marie-Dominique, que fais-tu là au milieu de tous ces hommes ?

- Je ne veux pas perdre une seule de ses paroles. Don Bosco est un saint, je le sens.

Avec Don Bosco, Don Pestarino a un grand projet : la construction d'un collège à Mornèse, pour les garçons du pays. Les hommes profitent du temps libre pour creuser les fondations et monter les murs, tandis que les femmes et les enfants apportent les pierres et le sable pour le ciment. Les filles de l'atelier et du patronage sont les premières au travail !

Et les plus petits participent aussi :
- Jérôme, tu m'apportes à boire ?
- Eh, Marguerite ne t'a rien donné à manger pour moi ?
- Tout de suite, j'arrive !

La petite famille s'agrandit encore autour de Marie-Dominique et Pétronille : comment acheter de quoi manger et se chauffer en hiver ? Mais Marie-Dominique remercie Dieu car chaque jour quelqu'un propose de l'aide :

- Francine, dis bien à Marie-Dominique qu'elle peut passer prendre du bois dans notre champ quand vous en avez besoin. Tu sauras lui montrer comment y aller.

- Marie-Dominique, voici du lait et des œufs !

- Mais maman, il n'y en a pas assez !

- C'est vrai, j'oublie que vous êtes plus nombreuses, maintenant.

En effet, Don Pestarino déménage au collège et il leur laisse sa maison, beaucoup plus grande que leur atelier. Deux amies, Thérèse et Rosine, viennent les rejoindre.

Les quatre jeunes filles veulent vivre toujours plus proches de Dieu, et elles suivent si bien les conseils de Don Pestarino et de Don Bosco, que bientôt celui-ci leur propose de devenir religieuses.

- Mais nous ne saurons pas...

- Si Don Bosco le veut, je le veux moi aussi, dit Marie-Dominique qui lui fait totalement confiance.

1872 : coup de théâtre à Mornèse ! Don Pestarino annonce que le collège accueillera des filles et sera tenu par Marie-Dominique et ses compagnes. Les gens du village sont mécontents :

- Notre argent et tous nos efforts ont été détournés !
- Vous vous prenez pour qui, mesdemoiselles ? Vous, des religieuses ! Je voudrais bien voir ça !
- Et en plus, leur nombre ne cesse d'augmenter : il paraît que Don Bosco envoie des jeunes filles de Turin qui souhaitent devenir Sœurs.
- Moi, en tout cas, j'enlève ma fille : je n'ai pas envie qu'elle suive Marie-Dominique !

Et pourtant, en août de cette année-là, quatorze jeunes filles, autour de Marie-Dominique, promettent devant Don Bosco et l'évêque, de donner toute leur vie à Dieu pour les jeunes, comme Don Bosco et ses religieux, les Salésiens.

Malgré les jalousies et les méchancetés, la maladie et la pauvreté, la vie continue de plus en plus joyeuse dans le petit collège. Tout le monde travaille, apprend, joue et prie ensemble.

Le soir, Marie-Dominique réunit les enfants et les Sœurs devant la statue de Marie donnée par Don Bosco. La journée se termine par une belle parole tirée des écrits de Don Bosco ou des événements de la semaine. C'est vraiment « la maison de l'amour de Dieu ».

Sœur Rosa, la cuisinière, se lamente :

- Je n'ai plus rien à donner aux enfants, Sœur Marie-Dominique.

- Je sais ce que nous allons faire. Ce soir, pique-nique surprise ! Nous partons pour la forêt des châtaigniers.

- Et maintenant, on s'installe ?

- D'abord, il faut ramasser notre repas. Regarde autour de toi, tu ne vois rien ?

- Des châtaignes ! Des châtaignes ! Celle-là est à moi !

- Ne vous disputez pas, il y en aura pour toutes. Et attention, ne prenez pas celles qui ont de petits trous : les vers eux aussi ont de l'appétit !

Faire la lessive, quand il faut frotter et battre le linge au lavoir, c'est un travail fatiguant qu'il faut refaire souvent. Eh bien, au collège, personne ne voudrait manquer le jour de la lessive :

- Et pourquoi ?
- Sœur Marie-Dominique a décidé que nous irions au torrent du Roverno.
- Mais, il y a un puits, au collège !
- Tu n'as pas envie de passer une bonne journée en plein air, et on emmènera le chaudron pour faire cuire la polenta !
- Oh, oui !

- Tu te souviens du jour où Sœur Clémentine est tombée en renversant la farine ? Elle a ramassé tout ce qu'elle pouvait, avec la terre et les cailloux !
- Quelle honte !
- Sœur Marie-Dominique l'a vite consolée : « Remercions Sœur Clémentine et le Bon Dieu, qui ont prévu l'assaisonnement ! Et puis, un peu d'eau bouillante va vite nettoyer et désinfecter tout ça. Bon appétit ! »

Marie-Dominique est si bonne pour chacune :

- Tu as faim ? Viens prendre un morceau de pain.
- Mais nous en avons si peu : que vont dire les autres ?
- Va à la cave, tu seras bien cachée, et personne ne te dira rien.

- Sœur Marie-Dominique, cette petite ne tient pas en place, elle dérange ses compagnes pendant le cours de couture.
- Eh bien, voici ta punition : va vite faire trois fois le tour de la vigne au pas de course, et quand tu seras bien fatiguée, tu pourras revenir !
- Oh merci, Sœur Marie-Dominique !
- Et si tu en as envie, prends une grappe, mais une seule : choisis-la bien !

Un jour, en promenade, les Sœurs rencontrent une petite fille sale et vêtue de haillons.

- Comment t'appelles-tu ? Ta maison est près d'ici ? Que tu es timide ! Allons, vite, qui de nous a le plus beau jupon ?

- Moi ! Moi !

- Donne-le-moi. Et toi, Sœur Madeleine, va vite avec elle au ruisseau pour un bon bain !

En une demi-heure, les Sœurs ont réussi à coudre une robe neuve, et la petite repart toute joyeuse.

Marie-Dominique a décidé que les Sœurs qui ne savent pas écrire suivront la classe avec les enfants, elle la première.

- Sœur Francine, s'il te plaît, peux-tu regarder si j'ai fait des fautes ?

- Vous me demandez à moi, Sœur Marie-Dominique !

- C'est que je n'ai pas appris comme vous quand j'étais enfant : voyez comme vous avez de la chance !

Les enfants apprennent ainsi à demander simplement, avec humilité.

Au cours de couture :

- Essaie, n'aie pas peur ! Tiens, je vais te raconter ce qui nous est arrivé au début. Une dame nous avait demandé de lui faire une robe. Je me suis lancée pour couper les manches, et j'ai coupé deux fois le bras droit. Et bien sûr, il ne restait plus de tissu !

- Et alors ?

- J'ai coupé du tissu dans la robe, j'ai réparé, mais il restait une vilaine couture sur le devant. J'ai dû dire à cette dame ce qui était arrivé.

- Et elle s'est fâchée ?

- Mais non, elle m'a consolée : « Ne vous inquiétez pas, je mettrai le tablier par-dessus ! » Et tu vois, maintenant je ne fais plus d'erreur !

Marie-Dominique voyage souvent maintenant, pour aller visiter les Sœurs dans les nombreuses maisons qu'elles ouvrent petit à petit, partout où il y a des enfants et des jeunes qui ont besoin d'elles.

Il y a un grand rêve dans le cœur de toutes : être appelées pour les missions. Un premier groupe de jeunes religieux salésiens vient de s'embarquer pour l'Argentine, envoyé en Patagonie, une région que personne n'a encore explorée.

Les Sœurs se préparent : quelques-unes commencent à apprendre l'espagnol, pour pouvoir le parler dans ce pays lointain. Et bientôt, en 1877, c'est le départ pour l'aventure.

- Au revoir ! Au revoir ! Donnez-nous vite de vos nouvelles !

Marie-Dominique doit se préparer, elle aussi, à partir car la maison de Mornèse est devenue trop petite.

- Marie-Dominique, tu ne peux pas t'en aller maintenant : ton père est malade. Et nos enfants, qui va s'occuper d'eux à présent ?

- Maman, il le faut. Notre village est trop petit, trop isolé. Le climat est trop rude pour les enfants. Nous laisserons quelques Sœurs pour garder la maison, et ainsi, je repasserai bientôt vous voir.

Marie-Dominique console sa maman, en cachant sa peine, car elle n'a pas d'argent pour installer la nouvelle maison de Nizza : il faudra sûrement vendre celle de Mornèse. Elle laisse ici tous les souvenirs de son enfance, de l'atelier, et bien sûr des premières années du collège. Que va devenir « la maison de l'amour de Dieu » ?

À Nizza, les Sœurs aident les ouvriers, nettoient, installent et, en septembre, tout est prêt, ou presque... Les fillettes découvrent leur nouvelle maison, et la classe reprend.

Mais un matin :

- Les Sœurs, les enfants, préparez-vous ! Et toi, Sœur Brigitte, mets ton beau tablier !

- Vite, un coup de balai !

- Sœur Marie-Dominique a dit que nous attendions la visite d'une grande dame d'une minute à l'autre.

- Mettez-vous bien en rang, les enfants. Tout le monde est prêt ?

La porte s'ouvre, et voici Sœur Assunta, dans sa robe du dimanche, qui amène une vache toute décorée et enrubannée ! Un instant de surprise, et les enfants rient et chantent de bon cœur le beau refrain qu'elles ont appris : la visiteuse de ce matin mérite bien d'être accueillie en musique ! Voici la promesse d'avoir du bon lait frais chaque jour !

- Sœur Marie-Dominique, vous êtes incorrigible ! Avec tous les soucis que vous avez !

- Don Bosco nous a dit : « Soyez toujours joyeuses ! » Les soucis d'argent, je les confie à la Vierge Marie et à saint Joseph. Et que les enfants soient en fête !

- Sœur Angela, peux-tu venir m'aider ce soir ?
- Bien sûr !
Quand Marie-Dominique monte dans sa chambre, c'est pour écrire à toutes ses Sœurs lointaines, surtout à celles qui sont ' au-delà des mers '. Comme elle est encore bien lente à manier la plume, elle dicte et Sœur Angela écrit : « Je te recommande de ne jamais te décourager. Par l'humilité et la prière, nous gardons Dieu près de nous, et quand Dieu est avec nous, tout va bien ! »
- Mais tu es gelée ! Allez, glisse-toi dans mon lit, et remonte la couverture !
- Mais Sœur Marie-Dominique, et vous ?
- Moi, j'ai l'habitude. Prends vite la plume ! Je continue : « Courage, Sœur Angiolina, reste joyeuse et rend joyeuses toutes les Sœurs qui sont avec toi. Le Seigneur nous aime ! »

La santé de Marie-Dominique est fragile. Mais, au début de l'année 1881, elle veut quand même accompagner les missionnaires.

- Sœur Marie-Dominique, ce n'est pas raisonnable. Vous allez prendre le bateau avec nous jusqu'à Marseille ?

- Oui, ainsi je resterai encore un peu avec vous, et ensuite je serai sur place pour rendre visite à nos Sœurs de France.

Mais Marie-Dominique ne supporte pas le voyage. Dès son arrivée, dans le très pauvre orphelinat de Saint-Cyr, près de Toulon, elle doit s'allonger pendant la petite fête qu'ont préparée les enfants.

Pendant trois semaines, Marie-Dominique aperçoit, de son lit, les vignes qui lui rappellent tant Mornèse, et la mer où voguent les missionnaires. Alors, elle redit à Jésus son amour :

- Jésus, je veux bien offrir ma vie pour la réussite de la mission que tu nous as confiée auprès des jeunes, et pour que chaque Sœur soit fidèle et heureuse.

Fin mars, Marie-Dominique peut enfin se lever à nouveau, et elle retourne à Nizza où les Sœurs, rassurées, l'accueillent avec joie. Mais elle leur dit :
- Ne vous réjouissez pas trop vite !

Et c'est vrai qu'elle se déplace de plus en plus souvent avec une brique chaude, qu'elle tient sur son côté, là où la douleur se fait sentir.

Marie-Dominique doit se reposer, mais on la rencontre encore à la chapelle, à la lessive, ou bien avec un balai, toujours à rendre service ! Les enfants veulent toutes lui parler, chaque Sœur veut un mot ou un conseil de sa part. Marie-Dominique prend du temps avec chacune, surtout avec Sœur Catherine qui devra bientôt lui succéder.

Le 13 mai 1881, Sœur Marie-Dominique meurt à Nizza Monferrato: elle n'a que 44 ans. Elle a vraiment donné toute sa vie et ses forces pour Dieu et pour les jeunes.

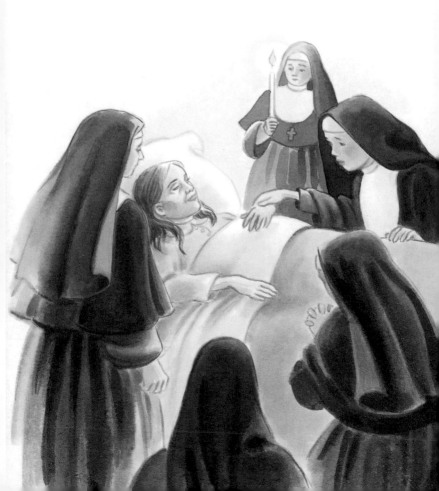

L'Église la déclare sainte en 1951.

Aujourd'hui, les Sœurs salésiennes continuent la mission, pour la joie des jeunes, avec les Salésiens de Don Bosco.

Le sais-tu ?...

Un acte d'amour pour Dieu

En couture, il faut toujours piquer et repiquer l'aiguille dans le tissu, le mieux possible à chaque fois. Répéter un geste aussi simple peut devenir un acte d'amour pour Dieu si on en fait un cadeau pour les autres. Ainsi, Marie-Dominique pensait que chaque instant nous donne l'occasion d'aimer.

Catéchisme

Quand un enfant veut connaître Jésus, il se réunit avec d'autres auprès d'un adulte : cela s'appelle le catéchisme. On lit l'Evangile, la vie de Jésus, et on voit comment on le rencontre aujourd'hui dans notre vie. On apprend comment les chrétiens vivent et prient ensemble.

Humilité

Chacun a des défauts, mais il est difficile de les reconnaître. L'humilité, c'est la simplicité qui nous aide à ne pas tricher, à être vrais avec les autres et à quitter notre orgueil habituel.

Religieux

Jésus appelle des hommes et des femmes à donner toute leur vie pour Dieu et pour les autres. Avec confiance, ils promettent de vivre l'Évangile dans la prière et le service du pro-

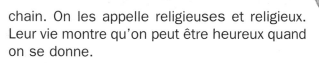

chain. On les appelle religieuses et religieux. Leur vie montre qu'on peut être heureux quand on se donne.

Salésiens

Don Bosco a choisi d'appeler ses religieux ainsi, en souvenir de saint François de Sales, un grand saint connu, dans son pays, pour sa douceur avec les gens, pour son calme et sa joie de vivre au milieu des difficultés, et pour sa passion à parler de l'amour de Dieu à tous.

Saint, sainteté

Un saint est un grand ami de Dieu : il l'aime et il se sent tellement aimé qu'il vit vraiment chaque instant avec le Seigneur. Alors, quand on le voit, c'est comme si Jésus revivait en lui. Les amis de Jésus aiment connaître la vie des saints : leur histoire nous montre comment chacun peut aimer de plus en plus et devenir saint.

Sœurs

Les premiers chrétiens s'appelaient tous « frères » et « sœurs. » C'était une manière de dire à tous que Jésus nous demande d'aimer les autres comme soi-même, car nous faisons tous partie de la famille de Dieu, Père de tous les hommes. Plus tard, les religieuses et les religieux ont repris cette coutume, et on les a appelés « Frères » et « Sœurs. »

Prière

Marie-Dominique,
tu étais élégante, active, intelligente,
et tu as su te servir de tes qualités
pour aider les enfants et les rendre heureux.

Aide-moi à découvrir mes qualités
et à les mettre au service
de ceux qui m'entourent.

Marie-Dominique,
tu as connu la solitude et la fatigue,
la pauvreté et la maladie,
mais tu as toujours eu confiance en Dieu
et il t'a guidée et aidée.

Aide-moi à confier à Dieu mes problèmes,
mes défauts, mes peurs,
pour qu'il m'aide à réussir ma vie.

Marie-Dominique,
tu voulais toujours être la meilleure,
pour être appréciée et avoir de nombreux amis.
Quand Jésus est devenu ton grand ami,
tu as su laisser la place aux autres
et les aider à grandir.

Aide-moi à regarder ce que je vis avec mes amis.
Fais-moi découvrir combien Dieu m'aime
et comment aimer les autres et les rendre heureux,
grâce à cet amour.